Brady Brady
et la fille terrible

Mary Shaw
Illustrations de Chuck Temple

Texte français de Jocelyne Henri

Les éditions Scholastic

**Brady et les autres joueurs des Ricochons soutiennent Tess,
qui est la risée de l'équipe adverse.**

Données de catalogage avant publication de la Bibliothèque nationale du Canada

Shaw, Mary, 1965-
[Brady Brady and the twirlin' torpedo. Français]
Brady Brady et la fille torpille

Traduction de: Brady Brady and the twirlin' torpedo.
Pour enfants de 4 à 8 ans.
ISBN 0-7791-1575-9

I. Temple, Chuck, 1962- II. Henri, Jocelyne III. Titre.
IV. Titre: Brady Brady and the twirlin' torpedo. Français.

PS8587.H3473B73814 2002   jC813'.6   C2001-903718-X
PZ23.S52Brf 2002

Édition publiée par Les éditions Scholastic,
175 Hillmount Road, Markham (Ontario) L6C 1Z7.

5 4 3 2 1   Imprimé à Hong-Kong   02 03 04 05

À ma fille,
Taylore Elizabeth Shaw.
Mary Shaw

À mes sœurs,
Cathy et Gayle.
Chuck Temple

Brady ADORE le hockey, tout comme son amie Tess.

Quand les deux amis ne sont pas avec les autres
Ricochons, ils sont habituellement chez Brady
à pratiquer leurs lancers sur la patinoire avec Champion.

Brady trouve que c'est fantastique qu'une fille
ADORE le hockey autant que lui.

Au début, certains joueurs des Ricochons n'avaient pas très envie qu'une fille joue dans leur équipe. C'était avant que l'entraîneur demande à Tess, surnommée la « torpille », de leur montrer de quoi elle était capable.

Elle avait…

**bondi dans les airs,
fait un tour complet sur elle-même,
atterri et décoché un lancer
de toutes ses forces!**

Charlie n'avait rien vu venir!
Tess avait toujours détesté ses cours de patinage artistique,
mais ses vrilles ont fini par lui être utiles.
Elle s'est jointe aux Ricochons, et fait maintenant
partie de l'équipe, comme les autres.

Aujourd'hui, les Ricochons disputent un match contre les Bassets, une équipe très déplaisante.
Brady s'est levé à l'aube.

Il aime être le premier à la patinoire pour
accueillir ses coéquipiers.
Comme d'habitude, Tess est la deuxième arrivée.

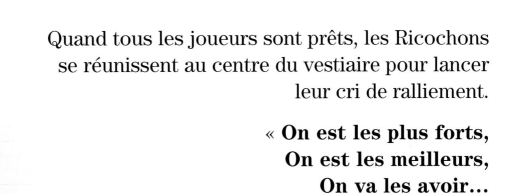

Quand tous les joueurs sont prêts, les Ricochons
se réunissent au centre du vestiaire pour lancer
leur cri de ralliement.

**« On est les plus forts,
On est les meilleurs,
On va les avoir…
Ils ne nous font pas peur! »**

Les deux équipes prennent position sur la glace.
L'arbitre fait la mise au jeu et le match débute.
C'est à ce moment-là que les moqueries commencent.

— Que vient faire une fille ici? Retourne chez ta mère!
dit un des Bassets d'un ton méprisant.

— As-tu fait une belle boucle avec tes lacets? ricane un autre. Va jouer avec tes poupées!

Brady regarde Tess qui continue à jouer. Elle fait comme si elle n'avait rien entendu.

— Ne les écoute pas, lui dit Brady
en s'assoyant à côté d'elle.
Tu joues aussi bien que n'importe qui ici.

— Ne t'en fais pas, Brady Brady. Je ne vais pas me laisser
intimider! répond Tess.
Mais quand elle revient sur la patinoire, les moqueries reprennent
de plus belle. Et le ton monte.

— Va faire cuire des biscuits! crie un des Bassets.

— Fais attention de ne pas te casser un ongle! lance
un autre.

Les moqueries se poursuivent pendant la première période
et une partie de la deuxième. Brady observe Tess. Elle se mord
la lèvre inférieure.

Malgré tous ses efforts,
Tess n'arrive pas à ignorer les Bassets.
Elle est incapable de se concentrer. Elle rate
des passes. Elle patine dans la mauvaise direction.
Elle trébuche même sur la ligne bleue!

En voulant exécuter sa vrille,
elle rate son coup et tombe de tout son long.
Les Bassets rient encore plus fort.

Dès l'annonce de la fin de la deuxième période,
Tess est la première à quitter la patinoire.

Dans le vestiaire, personne ne sait quoi dire.
L'air abattu, Tess fixe ses patins.
— Je vous ai laissés tomber, murmure-t-elle.

— Pas du tout! Personne n'arriverait à jouer avec toutes
ces moqueries! dit Charlie.

— C'est vrai! s'exclament les autres Ricochons.
On réagirait comme toi si on était à ta place.

— Attendez! crie tout à coup Brady. Je viens d'avoir une idée géniale!

— Laquelle? demandent les Ricochons en se regroupant pour écouter le plan de Brady.

Quand les Ricochons reviennent sur la glace pour la dernière période, les Bassets semblent pétrifiés sur place, la bouche grande ouverte. Certains se frottent même les yeux pour s'assurer qu'ils ne rêvent pas.

Les Ricochons ont un nouveau style!
Les joueurs ont tous retourné leur chandail à l'envers,
caché leurs cheveux et barbouillé leur visage.

Impossible de les reconnaître!

— Allons-y! s'écrie Brady.
Les Ricochons passent à l'action. Ils n'ont jamais
aussi bien joué… ni autant ri durant un match!

Les Bassets ont cessé leurs moqueries parce qu'ils ne savent pas quel joueur est Tess!

Jusqu'à…

… ce qu'elle s'empare
de la rondelle à la ligne bleue,

bondisse dans les airs,
fasse un tour complet
sur elle-même,
atterrisse
et décoche un lancer de toutes ses forces!

La rondelle vole dans le coin supérieur du filet des Bassets, quelques secondes avant la fin du match.

Tess vient de compter le point gagnant!